KB128528

Harry Potter

필 / 름 / 볼 / 트

VOLUME 3

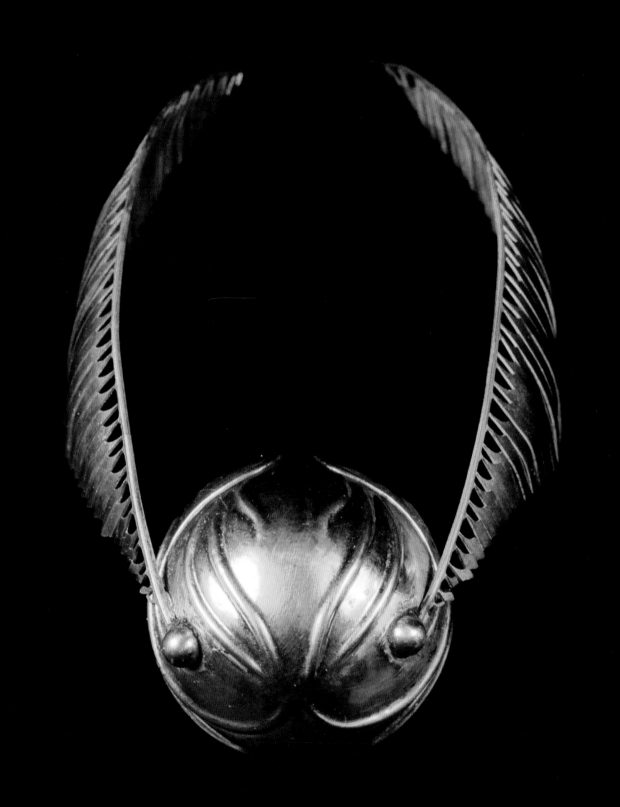

Harry Potter

필 / 름 / 볼 / 트

VOLUME 3

호크룩스와 죽음의 성물

조디 리벤슨 지음 | 고정아, 강동혁 옮김

문학수첩

들 어 가 며

* ☽ *

해리 포터는 자신이 마법사라는 것을 알게 된 그때 한 가지 사실을 더 알게 된다. 갓난아기였을 때 역사상 가장 강력한 어둠의 마법사에게 공격당했다는 사실이다. 해리의 부모님은 볼드모트 경의 손에 죽었지만, 볼드모트가 곧바로 건 살해 저주는 해리의 이마에 번개 모양의 흉터만 남겼을 뿐 도로 튕겨 나온다. 튕겨 나간 저주는 다름 아닌 어둠의 왕 자신에게 향하고, 그는 힘과 육체를 잃지만 죽지는 않는다. 평생 불사신이 될 방법을 찾아왔기 때문이다. 볼드모트를 쓰러뜨리기 위해 해리는 이 어둠의 마법사가 불사의 욕망을 이루지 못하도록 해야 한다.

첫 영화 〈해리 포터와 마법사의 돌〉에서 해리는 볼드모트가 영화의 제목이기도 한 마법사의 돌을 차지하려는 것을 막는다. 이 돌로 생명의 영약을 만들 수 있는데, 어둠의 왕이 그것을 마시면 육체를 되찾고 영원한 생명을 얻기 때문이다. 이후 〈해리 포터와 혼혈 왕자〉에서 해리는 볼드모트가 호크룩스를 만들었다는 사실을 알게 된다. 호크룩스는 볼드모트가 영혼의 일부를 몇몇 생물과 사물에 숨겨서 죽음을 피할 수 있게 해주는 매우 위험한 어둠의 마법이다. 볼드모트를 없애려면 해리는 먼저 7개의 호크룩스를 찾아서 파괴해야 한다. 〈해리 포터와 죽음의 성물〉 1부와 2부에서는 죽음의 성물이라고 불리는 또 다른 세 가지 물건이 나오는데, 그 셋을 모두 가지면 죽음의 주인이 될

수 있다는 사실이 밝혀진다.

화면에 등장한 이 모든 물건은 '주인공 소품'이라고 불렸다. 주인공들이 다뤘고(물론 악당들도 다뤘다), 등장인물에게나 이야기 진행에 중요했기 때문이다. 주인공 소품의 콘셉트는 비주얼 개발 아티스트들과 그래픽 아티스트, 소품 디자이너, 기술팀 직원들이 고안하고 프로덕션 디자이너 스튜어트 크레이그가 총괄했다. 〈해리 포터〉 영화를 제작할 때는 특이하게도 각 영화를 담당한 소품 감독이 있어서, 이런 물건의 디자인과 제작을 맡아서 했다. 루신다 톰슨, 알렉산드라 워커, 해티 스토리가 여덟 편의 영화가 제작되는 동안 이 역할을 맡아서 조각가, 화가, 모형 제작자 등의 공예가들과 함께 일했다.

호크룩스는 황금 잔, 뱀, 일기장, 보석 등 다양한 물건들이다. 소품 제작자 피에르 보해나는 말한다. "소품은 온전한 디자인 과정을 거쳐 제작됩니다. 최소 대여섯 가지 디자인을 감독과 제작자들에게 보여주게 되죠."

4쪽: 해리 포터(대니얼 래드클리프)는 필요의 방에서 래번클로의 보관을 발견한다.
위: 9와 4분의 3번 승강장 표지판 초안.
아래: 〈해리 포터와 혼혈 왕자〉에서, 그리핀도르 기숙사에 있는 해리 포터의 침대 옆 탁자에는 이 이야기에서 가장 상징적인 물건이 몇 가지 놓여 있다. 해리 포터의 마법 지팡이와 안경, 도둑 지도, 《고급 마법약 제조》 책 등이다.

소품을 개발하는 데는 연구 조사가 핵심이지만, 지속적인 검토를 거쳤는데도 여러 단계에서 변화가 요구되었다. 보해나가 말한다. "처음에는 후플푸프의 잔을 지금의 두 배 크기로 만들었습니다. 그런데 우리한테 와서 잔을 작게 만들라고 하더군요." 디자이너 미라포라 미나는 최종 잔 디자인을 승인받은 뒤에야 이런 잔을 **수천 개** 만들어야 한다는 사실을 알게 되었다.

초반 영화를 찍을 때는 아직 책이 완결되지 않은 상태였으므로 소품 제작자들과 그래픽 아티스트들은 디자인 단계에서 필요한 정보를 모두 갖추진 못했다. 〈해리 포터와 혼혈 왕자〉에서 덤블도어가 파괴하는 호크룩스 반지를 만들 당시 미술 팀에서는 이 반지의 보석이 〈해리 포터와 죽음의 성물〉 1부와 2부에 등장하는 부활의 돌이라는 사실을 모르고 있었다. 미술 감독 해티 스토리가 말한다. "다행히 7권은 우리가 그 소품의 디자인을 마치기 전에 나왔어요. 그때까지만 해도 우리는 반지에 죽음의 성물 상징이 새겨져 있어야 한다는 걸 몰랐거든요. 그 상징조차 아직 개발 중이었고요." 다행히 해당 장면 촬영을 시작하기 전에 책에 나오는 대로 보석을 마무리할 시간은 충분했다.

미라포라 미나가 정리한다. "우리는 영화에 필요한 디자인 작업을 할 때마다 그 물건 이면에 있는 캐릭터나 역사에 이입하고자 노력했어요. 그 물건 하나로, 단 한순간에 이야기 전달을 돕는 것이 우리 임무였거든요." 디자이너 에두아르도 리마는 덧붙인다. "늘 스토리텔링을 생각해야 합니다. 소품으로 이야기를 전해야 하죠." 이어지는 페이지에서는 〈해리 포터〉 영화 뒤의 미술가들과 공예가들이 마법사의 돌에서 볼드모트 경의 호크룩스, 죽음의 성물, 그리핀도르의 검 등 수많은 중요한 마법 물건들을 디자인한 이야기를 자세히 전한다.

위: 마볼로 곤트의 반지가 덤블도어 교수의 책상에 놓여 있다.
아래: 〈해리 포터와 죽음의 성물 2부〉에 나오는, 필요의 방이 악마의 불에 삼켜진 모습. 앤드루 윌리엄슨의 콘셉트 아트.
7쪽: 〈해리 포터와 혼혈 왕자〉에서 케이티 벨에게 저주를 건 목걸이. 미라포라 미나 디자인.

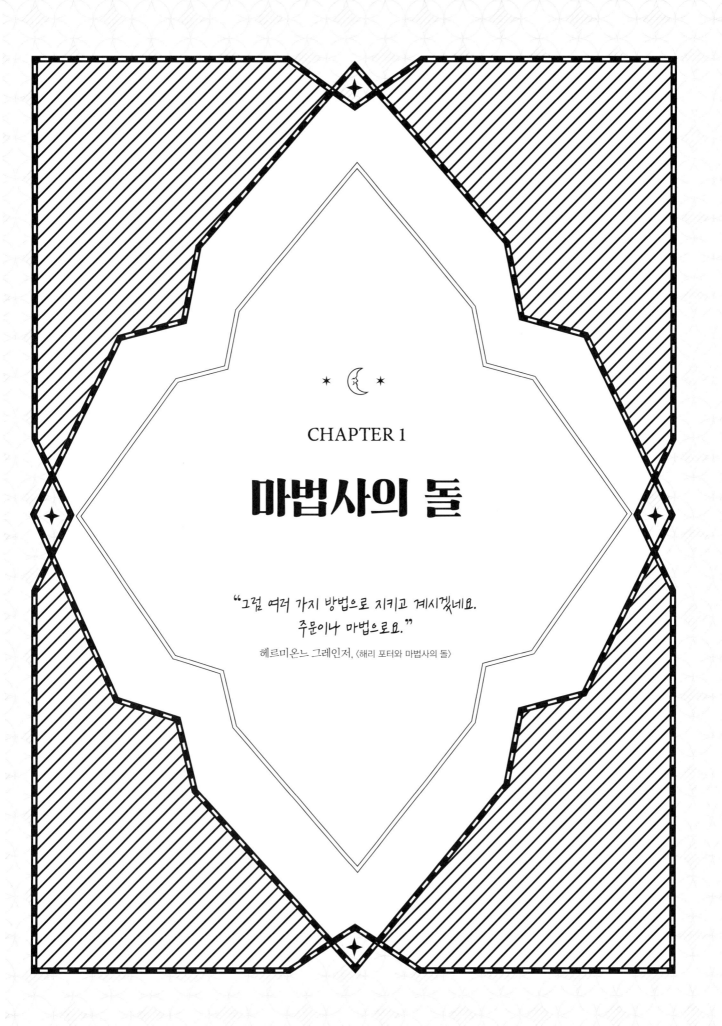

CHAPTER 1

마법사의 돌

"그럼 여러 가지 방법으로 지키고 계시겠네요.
주문이나 마법으로요."

헤르미온느 그레인저, 〈해리 포터와 마법사의 돌〉

마법사의 돌을
찾아서

책과 영화의 제목에서 알 수 있듯 〈해리 포터와 마법사의 돌〉은 해리 포터, 론 위즐리, 헤르미온느 그레인저가 마법사의 돌을 찾는 이야기다. 헤르미온느에 따르면 그것은 "어떤 금속도 순금으로 만들고, 영생을 가져다주는 영약을 만드는 놀라운 힘을 지닌 전설의 물질"이다. 호그와트 사람들은 볼드모트가 그 돌을 얻지 못하도록 감춘 후에 네 겹의 안전장치를 해놓는다. 머리 셋 달린 개 복슬이, 사나운 식물, 날개 달린 열쇠로만 열 수 있는 문, 게임을 해서 이겨야 지나갈 수 있는 거대 체스판이 그것이다. 아직 신체가 없어서 퀴리누스 퀴럴 교수의 몸에 기생해서 사는 볼드모트는 이 장치들을 모두 통과하고, 주인공들은 각자의 캐릭터에 맞는 능력을 발휘해 헤르미온느는 주문에 대한 지식, 해리는 빗자루 비행 기술, 론은 마법사 체스 실력을 뽐낸다.

8쪽: 론 위즐리가 나이트의 말에 올라타고 실물 크기 마법사 체스를 지휘하는 모습. 론은 해리 포터가 마법사의 돌을 찾으러 가도록 자신의 말을 희생시킨다.
설명 위: 론, 헤르미온느, 해리가 악마의 덫 위에 떨어진 모습.
11쪽: 해리, 헤르미온느, 론이 대형 체스판이 놓인 방에 들어가는 장면을 그린 시릴 놈버그의 비주얼 개발 그림.

복슬이

"물론 그는 복슬이에 관심이 있었지! 머리 셋 달린 개를 얼마나 자주 보겠어, 이쪽 일을 하고 있다고 해도 말이야."

루비우스 해그리드, 〈해리 포터와 마법사의 돌〉

〈해리 포터와 마법사의 돌〉에서 몇몇 교수들은 마법사의 돌을 지키기 위해서 여러 가지 방범 장치를 설치했다. 첫 번째 장치는 루비우스 해그리드가 데려다놓은 머리가 셋 달린 경비견 복슬이다.

특수 캐릭터 디자이너들에게 주어진 가장 중요한 과제는 언제나 믿기지 않는 것을 믿을 수 있는 것으로 만드는 것이다. 그래서 〈해리 포터와 마법사의 돌〉에 등장하는 머리가 셋 달린 개는 개 세 마리가 한 몸에 합쳐진 것처럼 보여야 했다. 이 결합을 위해서 디지털 애니메이터들은 각각의 머리에 서로 다른 성격을 부여해 하나는 생기가 없고, 하나는 영리하고, 또 하나는 아주 민첩한 것으로 설정했다. 그러자 재미난 상호작용도 만들 수 있었다. 제작진은 3개의 머리가 동시에 움직이지 않도록 특별히 주의를 기울였고, 각각의 머리가 모든 행동을 개별적으로 하도록 했다.

해리, 론, 헤르미온느는 잠든 개를 지나간 다음, 바닥의 문을 열기 위해 이 개의 거대한 발을 치워야 했다. 그래서 제작진은 배우들이 밀어낼 복슬이의 오른발을 실물 크기로 묵직하게 만들었다. 이 한 가지를 제외한 복슬이의 모든 동작은 컴퓨터로 만들어졌다. 그렇다면 론의 어깨에 떨어진 복슬이의 침은 뭐냐고? 불쾌한 실사 효과였다.

12쪽 아래: 〈해리 포터와 마법사의 돌〉에서 론 위즐리(루퍼트 그린트), 헤르미온느 그레인저(에마 왓슨), 해리 포터(대니얼 래드클리프)는 머리 셋 달린 경비견 복슬이를 만난다.
12쪽 위, 13쪽: 영화에 나오는 복슬이의 거대한 두 발과 3개의 머리.

악마의 덫

**"악마의 덫, 악마의 덫, 아주 치명적이지만
햇빛을 쐬면 물러갈 거야!"**

헤르미온느 그레인저, 〈해리 포터와 마법사의 돌〉

악마의 덫은 원거리 사격을 하는 탱탱하고 질긴 식물로, 어둡고 축축한 환경을 좋아하는 덩굴식물에 속한다. 이 식물은 〈해리 포터와 마법사의 돌〉에서 해리 포터, 론 위즐리, 헤르미온느 그레인저가 마법사의 돌을 찾으러 가는 길에 두 번째 장애물로 사용된다. 악마의 덫을 밟거나 이 식물에 부딪히면 그것이 사람이건 물건이건 덩굴손에 꽁꽁 휘감겨 죽고 만다. 〈해리 포터와 마법사의 돌〉에서 악마의 덫에 잡혔을 때 헤르미온느는 덩굴손에서 풀려나려면 온몸에 힘을 풀거나 이 식물에게 밝은 빛, 특히 햇빛을 비추어야 한다는 사실을 떠올린다.

제작진은 처음에 〈해리 포터와 마법사의 돌〉의 악마의 덫 장면을 디지털 방식으로 만들 생각이었다. 하지만 제작비가 너무 많이 들었다. 이 문제를 해결하기 위해 제작진은 옛날 방식의 실사 특수효과를 도입하기로 했다. 악마의 덫이 세 사람을 감싸는 장면은 실제로는 거꾸로 촬영한 것이다. 먼저 거대한 덩굴로 배우들을 꽁꽁 감싼 다음, 무수한 덩굴손 밑에 인형 조종사들이 숨어서 천천히 덩굴을 풀었다. 그동안 배우들은 '몸부림'을 쳤다. 이 필름을 거꾸로 돌리면 배우들이 식물에 휘감기는 것처럼 보였다. 이 장면에 쓴 시각효과는 지팡이에서 나온 '루모스 솔렘' 주문뿐이었다.

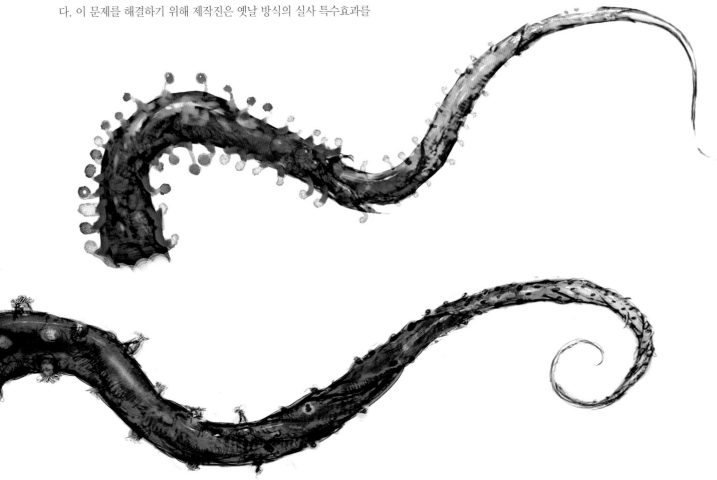

〈해리 포터와 마법사의 돌〉에 등장한 악마의 덫의 덩굴손. 폴 캐틀링 구상화.
15쪽 위: 〈해리 포터와 마법사의 돌〉에서 해리 포터가 악마의 덫에 휘감겨 있다. 폴 캐틀링 콘셉트 아트.
15쪽 아래: 해리(대니얼 래드클리프)가 같은 장면에서 악마의 덫과 씨름하고 있다.

위: 해리, 론, 헤르미온느가 날개 달린 열쇠의 방에 처음 들어갔을 때, 헤르미온느는 그 열쇠를 새로 오해한다.
아래 왼쪽: 해리와 론이 방에 남겨진 공중에 떠 있는 빗자루를 살펴보고 있다.
아래 오른쪽: 날개 달린 열쇠 소품. 잠긴 문을 여는 데 사용된다.
17쪽 위: 거트 스티븐스의 날개 달린 열쇠 콘셉트 아트.
17쪽 아래: 해리 포터가 날개 달린 열쇠 떼 사이를 날아가고 있다.

날개 달린 열쇠

"이런 새는 처음 봐."
"새가 아니라 열쇠야."

헤르미온느 그레인저와 해리 포터, 〈해리 포터와 마법사의 돌〉

복슬이를 잠재우고 악마의 덫을 통과한 뒤에는 마법사의 돌에 다가가기 위해 잠긴 문을 열어야 한다. 헤르미온느가 '알로호모라' 주문을 써 보았지만 소용없이 끝나고, 론과 해리는 방 안을 날아다니는 수많은 열쇠 중에서 문에 맞는 단 하나를 찾아야 함을 깨닫는다. 시각효과 감독 로버트 레가토는 비교적 단순한 열쇠들의 디자인에 "무섭고 거칠지만, 너무 무섭거나 거칠지는 않은" 면을 담아야 했다고 말한다. "물건은 아름다울수록 덜 무섭게 느껴지죠. 무섭지만 너무 무섭지 않은 선을 찾는 일이 어려웠어요." 생각해야 할 또 한 가지는 열쇠들의 움직임이었다. "그것들은 기본적으로 한 덩어리로 움직여요. 그 움직임이 열쇠들의 외형과 화면에서 조명 받는 방법에 영향을 미치죠." 디지털 스토리보드로 시험해 최종 디자인이 확정된 후에 새 떼처럼 무리지어 나는 많은 열쇠가 만들어졌다. 실제로 문을 여는 열쇠는 다중 광택 실크로 날개를 만들어 완성했다.

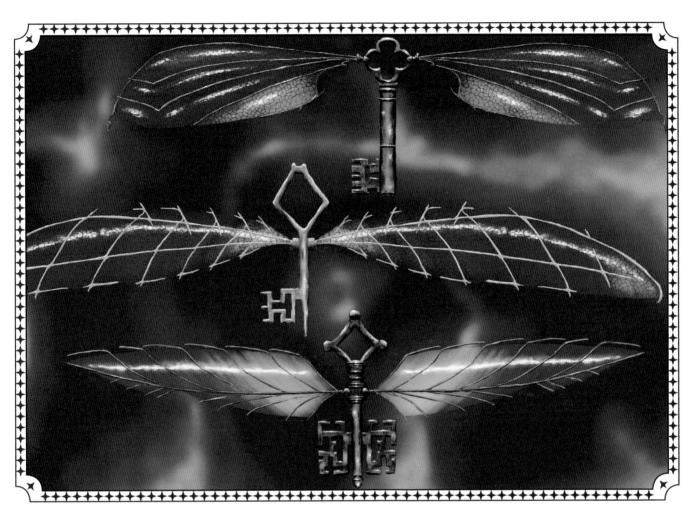

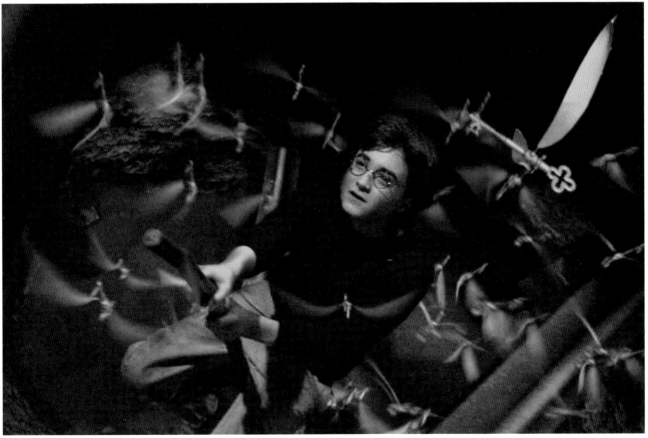

체스 말

"뻔하잖아. 체스를 둬서 건너야 해. 해리는 빈 비숍 자리를 맡아.
헤르미온느는 퀸 옆의 룩을 해. 난 나이트를 할게."

론 위즐리, 〈해리 포터와 마법사의 돌〉

해리 포터는 볼드모트를 만나기 전에 마지막으로 마법사 체스 게임을
해서 이겨야만 한다. 크리스 콜럼버스 감독은 처음부터 그 장면을 디
지털이 아닌 기계적 효과로 만들고자 했고, 특수효과 팀과 소품 팀은
기꺼이 32개의 대형 체스 말을 만들었다. 그 일부는 높이가 3.6미터에
이르고, 무게는 230킬로그램까지 나갔다. 이 말들은 먼저 찰흙으로 빚
은 뒤에 쓰임에 따라 다양한 재료로 주조됐다. 소품 팀은 말들에 곁들
일 칼, 철퇴, 갑옷도 만들고 심지어 비숍의 지팡이도 만들었다. 특수효
과 책임자 존 리처드슨이 말한다. "그런 뒤 우리는 체스 말을 움직여야
했습니다. 하지만 말들이 워낙 크고 무거운 데다 받침대는 굉장히 작
아서 힘든 일이었죠." 리처드슨의 팀은 말들에 무선 조종 장치를 달았
다. "그걸로 말이 앞으로 간 뒤 멈추고, 옆으로 갔다가 멈추는 동작을
깔끔하게 만들 수 있었어요."

시각효과 프로듀서 에마 노턴은 말한다. "세트 위에 말을 다 만들
고 그걸 체스판 위에서 움직일 수도 있었지만, 동작이 정교하지 않았
어요. 그래서 단순히 전진하는 것 이상의 움직임은 컴퓨터로 만들었
죠. 컴퓨터그래픽으로 무언가를 만들 때는 먼저 그 모델을 만들고 색
칠을 해서, 거기서 최대한 많은 것을 가져다 썼어요. 모델을 촬영해 사

왼쪽 아래, 오른쪽 위: 시릴 놈버그와 라비 밴설의 블랙사이드 폰과 퀸사이드 캐슬 비주
얼 개발 그림.
오른쪽 아래: 킹 말을 마무리 손질하는 모습.
19쪽: 룩, 나이트, 비숍, 폰 참고 사진. 일부는 무선으로 조종되었다.

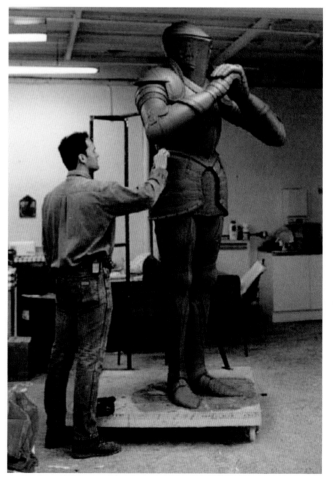

XX1040
FOR REFERENCE ONLY CONFIDENTIAL 02-009

이버스캔한 후에, 소품 팀과 미술 팀의 자료에서 질감을 가져와서 외피를 만들었죠. 그런 뒤 CG 모델을 만들고 겉에 그 질감의 외피를 씌우면 모든 면에서 진짜처럼 보였습니다."

　체스 장면에서 배우들은 상대편에게 잡히면 폭발하는 체스 말들의 파편을 피해 촬영해야 했다. 리처드슨은 폭약 대신 리모컨으로 조종하는 압축 공기 장치로 말들을 질서 있게 폭발시켰다. "세트에는 불꽃도 있고 연기도 있어서 공기, 불, 폭음 등 거의 모든 것을 조금씩 사용했어요." 폭발 후에 보이는 '부서진' 조각들은 본래 말의 잔해가 아니라 따로 만든 것으로, 촬영을 마치고서 그 위에 디지털로 먼지와 부스러기를 입혔다. 체스판의 얼룩은 잘 알려진 기법으로 만들어졌다. 물통(이 경우에는 0.5제곱미터)에 유화 물감을 뿌리고 그 위에 종이를 얹어서 소용돌이무늬를 앉히는 방법이다. 그렇게 해서 나온 결과 중 최고의 것을 스캔하고 디지털로 보완해서 세트에 놓았다. 루퍼트 그린트(론 위즐리)는 이렇게 회상했다. "정말 멋진 세트에 멋진 장면이었어요. 사방에서 말이 부서지고 폭발했죠. 아직도 그때 탔던 말 조각을 하나 가지고 있어요!"

왼쪽 위, 오른쪽 아래, 21쪽 위: 마법사 체스 말의 여러 가지 무기, 자세, 복장을 실험한 시릴 놈버그와 라비 밴설의 콘셉트 아트.
오른쪽 위: 〈해리 포터와 마법사의 돌〉 세트 참고 사진에서 해리 포터가 3.6미터짜리 화이트 퀸에게 다가가고 있다.
21쪽 아래: 체스판 주변에 상대에게 잡혀서 폭발한 말들의 파편이 쌓여 있다.

소망의 거울

**"우리 마음속의 소망 중에서 가장 간절하고
진심 어린 것만을 보여주는 거지."**

알버스 덤블도어, 〈해리 포터와 마법사의 돌〉

해리는 1학년 크리스마스 연휴 동안 호그와트에 머물게 된다. 이때 헤르미온느는 해리에게 마법사의 돌을 갖고 있는 니콜라 플라멜에 관한 정보를 더 찾아보라는 과제를 준다. 해리는 투명 망토를 사용해 도서관 제한구역에 몰래 들어가 책꽂이를 살펴보지만, 책 하나가 비명을 지르자 들고 있던 등불을 떨어뜨리고 도망친다. 건물 관리인인 아거스 필치는 그 소리를 듣고 무슨 일인지 알아보기 위해 해리를 쫓는다.

해리는 숨으려고 쓰이지 않는 교실 같은 곳에 들어간다. 세로 홈이 들어간 기둥과 궁륭 천장이 있는 이 교실의 디자인은 스코틀랜드 글래스고 대학교의 회랑 및 뷰트 홀 입구를 연상시킨다. 이 대학교는 1451년에 설립됐으나 뷰트 홀과 그 회랑은 1870년대에 고딕 복고 양식으로 지어졌다.

어두컴컴한 이 방의 유일한 가구는 거대한 입식 거울로, 소망의 거울이라 불린다. 해리는 사람의 마음 가장 깊은 곳의 욕망을 비추는 그 거울에 홀린다. 해리가 거울을 들여다보자 갑자기 뒤에 있는 부모님의 모습이 거울 안에 비치는 것이다. 덤블도어는 해리가 지나치게 자주 거울 앞에 앉아 있는 것을 보고 꿈속에 머물지 말고 현재를 살라고 말한다. 덤블도어가 다른 장소로 옮겨놓는 이 거울은 나중에 해리가 마법사의 돌을 차지하려는 퀴럴 교수-볼드모트 경을 물리치는 데 핵심적인 역할을 한다. 해리는 거울을 보고, 마법사의 돌이 그의 바지 주머니에 들어와 있다는 걸 알게 된다.

이 거울은 다양한 건축 양식을 섞은 것이다. 코린트 양식의 바깥 기둥이, 매듭 무늬로 장식된 도리스 양식의 더 작은 기둥들을 감싸고 있다. 주요 스타일은 고딕 양식이다. 랜싯 형태의 눈금 아치 7개 위에 더 커다란 아치가 자리 잡고 있다. 그 위에는 종려 잎 무늬로 장식된 삼각 아치가 있어, 가장 위쪽의 세 오벨리스크를 지탱하고 있다. 가장 큰 아치 위에는 이런 문구가 새겨져 있다. "Erised stra ehru oyt ube cafru oyt on wohsi." 마법의 언어가 아니라, "그대의 얼굴이 아닌 그대의 마음이 소망하는 것을 보여준다"는 문장의 글자들을 독특하게 조합해 거울에 비춘 모습이다. 용도도 다양하고 촬영 중 망가지는 경우도 있어 복제품을 만들었던 대부분의 소품과 달리 소망의 거울은 1개만 제작되었다.

위: 해리가 등 뒤에 있는 부모님을 보고 거울로 손을 뻗는 순간을 담은 세트장 사진.
아래: 퀴럴 교수(이언 하트)가 소망의 거울에 비친 자기 모습을 보고 있다.
23쪽: (2개가 아닌) 3개의 오벨리스크가 있는 소망의 거울 소품 참고 사진.

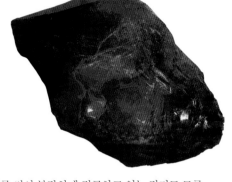

마법사의 돌

"마법사의 돌을 들고 있는 내가 보이는군. 하지만 어떻게 저걸 손에 넣지?"

퀴리누스 퀴럴, 〈해리 포터와 마법사의 돌〉

영화 1편에서 제목에도 등장하는 마법사의 돌만큼 중요한 소품이 있을까? 디자인 팀이 J.K. 롤링에게 돌의 생김새를 묻자 롤링은 돌이 세공되지 않은 루비처럼 생겼다고 설명했다. 소품 감독 피에르 보해나는 마법사의 돌을 조약돌 같은 모양으로 만들자는 아이디어에서 출발했지만, 촬영해 놓고 보니 그런 돌은 너무 납작해 보였다. 미술 팀은 시중에서 구할 수 있는 인공 돌을 써봤지만 별로 만족스럽지 않았다. 보해나는 말한다. "그럭저럭 괜찮았어요. 사람들도 만족했고요. 하지만 아주 가까이에서 보지 않는 한 그냥 납작한 자갈로 보이기 십상이었죠. 그때 스튜어트 [크레이그]가 방향을 완전히 틀어버렸어요." 보해나는 기억한다. "스튜어트는 다양한 석영 원석을 가지고 있었는데, 우리가

이 문제에 지나치게 머리를 써서 복잡하게 접근하고 있는 걸지도 모른다고 했어요." 크레이그는 석영 하나를 골라서 보해나에게 빨간색 복제품을 만들라고 했다. "그게 바로 우리가 원했던 마법사의 돌이었죠."

이 소품 보석 몇 개를 플라스틱으로 제작했는데, 플라스틱 돌들은 루비라기보다는 커다란 사탕처럼 보였다. 제작자들은 소품에 진짜 보석의 아른거리는 느낌과 반짝거리는 모양을 부여하고자 조명 기술의 기초로 돌아갔다. 촬영 중 카메라 위에 작은 불꽃을 두자 돌이 그 빛을 반사했던 것이다.

위: 가까이에서 찍은 마법사의 돌. **아래, 25쪽:** 〈해리 포터와 마법사의 돌〉 스틸 사진. 해리가 마법사의 돌을 들고 있다. 이 돌은 놀랍게도 그의 바지 주머니 속에 나타났다.

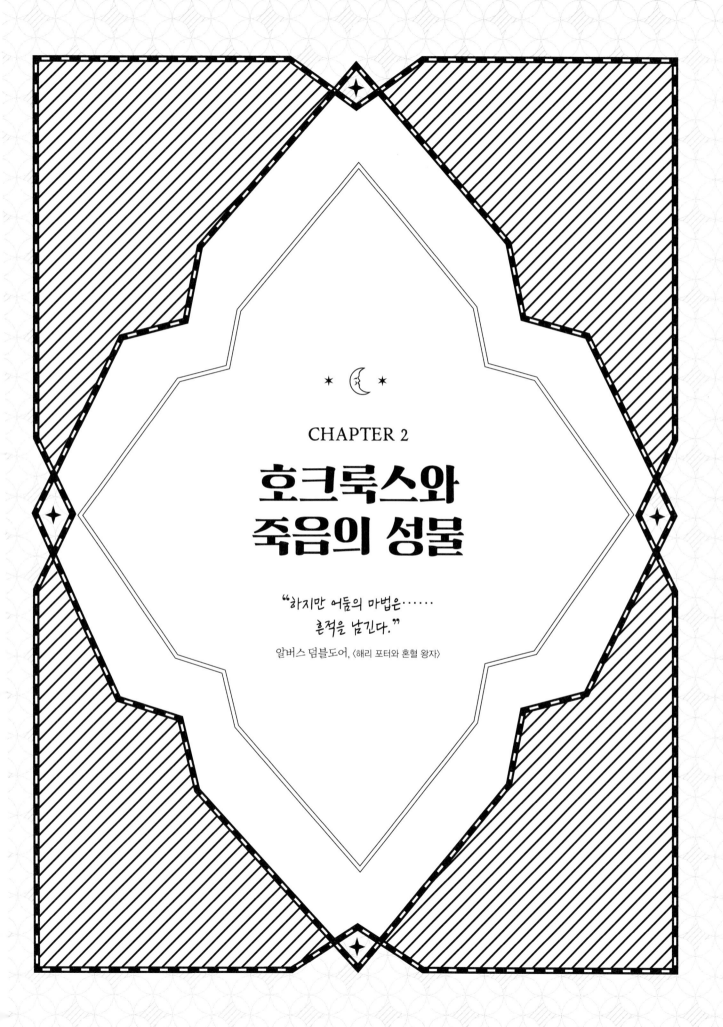

CHAPTER 2

호크룩스와
죽음의 성물

"하지만 어둠의 마법은……
흔적을 남긴다."

알버스 덤블도어, 〈해리 포터와 혼혈 왕자〉

볼드모트 경의 호크룩스

"호크룩스를 전부 찾아내 파괴하면……."
"볼드모트가 죽게 되지."

해리 포터와 알버스 덤블도어, 〈해리 포터와 혼혈 왕자〉

톰 리들이라고 불리던 어린 시절의 볼드모트 경은 불멸을 얻기 위해 마법약 교수 호러스 슬러그혼을 꾀어서 호크룩스의 정체(영혼의 일부를 물체나 생명체에 떼어 넣어서 자신의 신체를 보호하는 것)와 만드는 방법을 알아낸다. 볼드모트 경은 모두 7개의 호크룩스를 만들고, 해리 포터는 그것을 찾아내야 한다. 호크룩스를 없애면 볼드모트 경을 물리칠 수 있기 때문이다. 영화는 이 물건들, 겉보기에는 그저 잔, 반지, 책, 뱀, 보관, 목걸이 그리고 살아남은 소년일 뿐인 것들을 따라 흘러간다. 그래서 호크룩스들의 디자인은 특별하고 강렬해야 했다. 어쩌면 이들이 〈해리 포터〉 시리즈에서 가장 중요한 마법 도구들이기 때문이다.

26쪽: 〈해리 포터와 죽음의 성물 2부〉의 결말 무렵. 호크룩스이자 죽음의 성물인 마볼로 곤트 반지의 부활의 돌이 해리 포터가 첫 퀴디치 경기 도중 잡은 골든 스니치 안에서 나타난다.

위: 해리 포터의 노트. 호크룩스 추적에 필요한 중요 메모들이 적혀 있다.

아래: 파괴된 2개의 호크룩스인 톰 리들의 일기장과 마볼로 곤트의 반지가 알버스 덤블도어의 책상에 놓여 있다. 〈해리 포터와 혼혈 왕자〉 소품 참고 사진.

29쪽: 〈해리 포터와 혼혈 왕자〉에서 슬러그혼 교수는 학생 시절의 톰 리들에게 호크룩스 만드는 법을 알려준다.

톰 리들의 일기

"비밀의 방을 또 열면 들킬 것 같기에 일기를 썼지.
내 열여섯 해 삶을 기록,
새 후계자가 나타나면 슬리데린의 업적을 완성할 수 있게!"

톰 마볼로 리들(볼드모트 경), 〈해리 포터와 비밀의 방〉

주인공 소품을 만들 때(이 경우에는 '악당' 소품이라고 해야겠지만) 소품 제작자들은 그것이 영화 내용에 따라 상태가 어떻게 변하는지 잘 알아두어야 한다. 톰 리들의 일기장은 〈해리 포터와 비밀의 방〉에서 루시우스 말포이가 지니 위즐리의 물건들 틈에 몰래 넣었을 때는 말끔한 상태였다. 일기장의 검은 가죽 표지에는 '파괴 가공'이라 통칭되는, 물건을 두드리고 더럽히고 찢고 문지르는 방식으로 만들어 낸 긁히거나 벗겨진 자국 몇 개가 새겨져 있다. 이후에 이 일기장은 물에 젖어 손상되고, 마침내 바실리스크의 독으로 파괴된다.

마지막 일기장 소품은 내부에 튜브를 넣어서 해리가 뱀의 송곳니로 찌를 때 검은 액체가 쏟아져 나오게 만들었다. 해리가 비밀의 방에서 마주치는 바실리스크의 송곳니는 목적에 따라 여러 물질로 제작되었다. 피에르 보해나는 "스턴트 장면과 클로즈업 장면은 필요로 하는

것이 다르다"고 말한다. "톰 리들의 일기를 파괴하는 데 쓴 바실리스크의 송곳니는 사람이 찔려도 다치지 않도록 고무로 만들었어요." 바실리스크 입안의 송곳니는 단단했지만 끝부분은 역시 안전을 위해 유연한 고무로 제작됐다. 그리고 송곳니 역시 오랜 세월 낡고 닳은 모습을 보여주기 위해 파괴 가공했다. 헤르미온느 그레인저와 론 위즐리는 〈해리 포터와 죽음의 성물 2부〉에서 잔과 보관 호크룩스를 파괴할 송곳니를 가지러 비밀의 방에 들어간다.

30쪽: 〈해리 포터와 비밀의 방〉에서 해리가 톰 리들의 일기장을 살펴보고 있다.
아래: 파괴된 호크룩스인 톰 리들의 일기장의 또 다른 모습. 〈해리 포터와 비밀의 방〉에서 바실리스크의 이빨에 찔렸다.

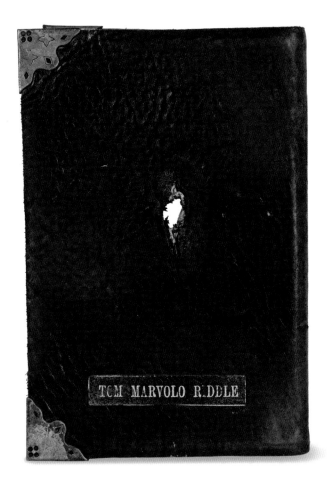 

마볼로 곤트의 반지

"우리 주변의 물건 뭐든지 가능해. 반지나……."

알버스 덤블도어, 〈해리 포터와 혼혈 왕자〉

〈해리 포터와 혼혈 왕자〉에서 덤블도어는 해리에게, 볼드모트가 친숙한 물건들로 호크룩스를 만들었다고 밝힌다. 그리고 해리가 파괴한 일기장 이야기를 하면서 또 하나의 호크룩스를 보여주는데, 톰 리들의 할아버지 가 간직하던 검은 돌이 박힌 금반지다. 덤블도어와 해리는 펜시브를 통해 톰이 호크룩스를 만드는 방법을 알려달라며 슬러그혼을 설득하는 장면을 본다. 이 장면에서 반지는 가볍게 지나가며 보이지만, 호크룩스에 담긴 어 둠의 마법이 흔적을 남긴다는 덤블도어의 말은 이후에 해리가 호크룩스 들을 찾는 근거가 되어 영화 내용에 큰 영향을 준다. 반지의 최종 모습은 시리즈 내내 많은 장신구를 디자인한 미라포라 미나가 완성했다. 두 마리 뱀이 입으로 보석을 받든 반지 디자인은 슬리데린과의 연관성을 뚜렷이 보여준다. 덤블도어는 그리핀도르의 칼로 이 호크룩스를 파괴하는 데 성 공하지만, 안타깝게도 목숨을 대가로 치른다.

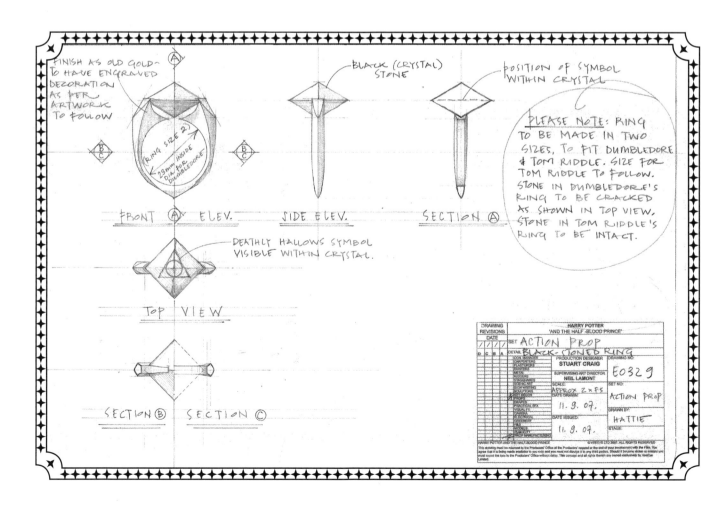

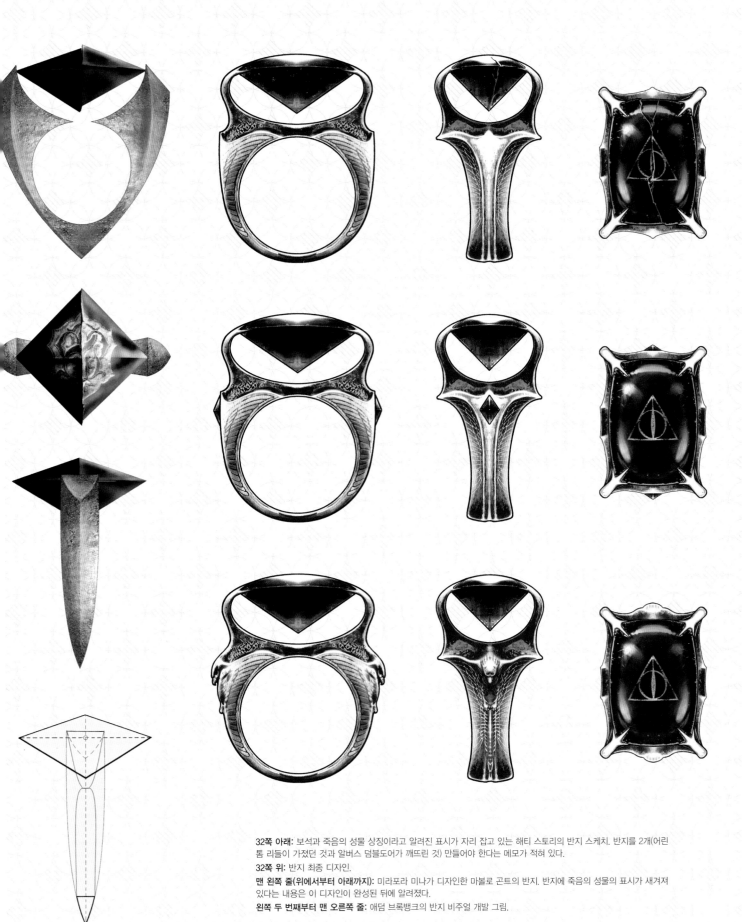

32쪽 아래: 보석과 죽음의 성물 상징이라고 알려진 표시가 자리 잡고 있는 해티 스토리의 반지 스케치. 반지를 2개(어린 톰 리들이 가졌던 것과 알버스 덤블도어가 깨뜨린 것) 만들어야 한다는 메모가 적혀 있다.

32쪽 위: 반지 최종 디자인.

맨 왼쪽 줄(위에서부터 아래까지): 미라포라 미나가 디자인한 마볼로 곤트의 반지. 반지에 죽음의 성물의 표시가 새겨져 있다는 내용은 이 디자인이 완성된 뒤에 알려졌다.

왼쪽 두 번째부터 맨 오른쪽 줄: 애덤 브록뱅크의 반지 비주얼 개발 그림.

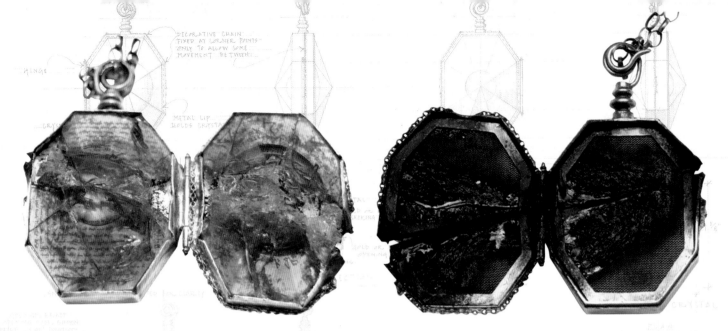

살라자르 슬리데린의 로켓

"네가 이걸 읽을 때면 난 세상에 없겠지······.
난 진짜 호크룩스를 훔쳤고, 그걸 파괴할 거다."

해리 포터가 읽는 레귤러스 블랙의 메모, 〈해리 포터와 죽음의 성물 1부〉

〈해리 포터와 혼혈 왕자〉에서 덤블도어와 해리가 로켓 호크룩스를 찾을 때, 그들은 로켓이 실제로는 2개라는 사실을 몰랐다. 하나는 살라자르 슬리데린의 것으로 볼드모트가 호크룩스로 만들어서 수정 동굴에 숨겨놓았고, 또 하나는 시리우스 블랙의 동생 레귤러스가 진짜 로켓 호크룩스를 훔친 후에 대용품으로 남겨놓은 것이다. 미술 감독 해티 스토리는 "디자인을 시작할 때는 그것이 진짜 로켓이 아니라는 사실을 몰랐다"고 말한다. "어쨌건 2개의 로켓을 하나는 정교하게, 하나는 그만하지는 못하게 만들어야 했어요." 미라포라 미나는 "로켓 만들기가 하나의 도전이었다"고 밝혔다. "사악한 물건이지만 그러면서도 아름다운 면이 있어야 했거든요. 매력적이고 역사적인 느낌을 주어야 했어요."

진짜 슬리데린 로켓은 미나가 박물관에서 본 18세기 스페인 장신구를 참고해서 완성했다. 미나는 장신구 앞면의 크리스털이 다면체로 깎여 있는 모습이 마음에 들었다고 말한다. "다

면체로 되어 있으면 어느 쪽으로 열어야 할지 쉽게 알 수 없을 것 같았어요." 책 속 설명에 따르면 로켓은 녹색 보석으로 만든 S자로 장식되어 있다. 미나는 점성술에서 행성 간의 상대적 각도를 나타내는 기호를 그 주변에 배치했다. S자를 둘러싼 고리 모양에도 글을 새겼고, 뚜껑 뒷면에는 더 긴 글을 새겼다.

미나가 말한다. "로켓 만들기는 정말 즐거웠어요. 로켓의 모든 요소를 여러 면에서 탐구해 볼 수 있었죠. 그래서 사슬을 거는 고리도 뱀 모양이 되었어요. 〈해리 포터〉 영화에서는 이 모든 것을 현장에서 만들 수 있어서 매우 좋았어요. 소품 제작자와 어떤 재료를 써야 할지 의논하면서 그에 따라 디자인을 조금씩 변경할 수 있었죠." 〈해리 포터와 죽음의 성물 1부〉에서는 론 위즐리가 그리핀도르의 검으로 호크룩스를 파괴하는 장면을 촬영하기 위해 로켓의 복제품을 만들어야 했다. 피에르 보해나는 다음과 같이 회상했다. "처음에는 2, 3개만 필요할 거라고 말했거든요. 결국 40개를 만들어야 했죠."

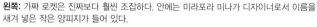

왼쪽: 가짜 로켓은 진짜보다 훨씬 조잡하다. 안에는 미라포라 미나가 디자이너로서 이름을 새겨 넣은 작은 양피지가 들어 있다.
위: 론 위즐리가 〈해리 포터와 죽음의 성물 1부〉에서 그리핀도르의 검으로 파괴한 살라자르 슬리데린의 로켓.
위 배경 그림: 해티 스토리의 스케치는 모든 각도에서 바라본 로켓의 모습을 보여준다.
35쪽 왼쪽, 위에서부터 아래까지: 〈해리 포터와 혼혈 왕자〉의 호크룩스 동굴에서 로켓을 발견했다가 그것이 진짜가 아니라는 사실을 발견하는 내용 스토리보드와 〈해리 포터와 죽음의 성물 1부〉에서 진짜 로켓을 파괴하는 장면.
35쪽 오른쪽: 다양한 S자 디자인을 제안하는 미라포라 미나의 콘셉트 아트.

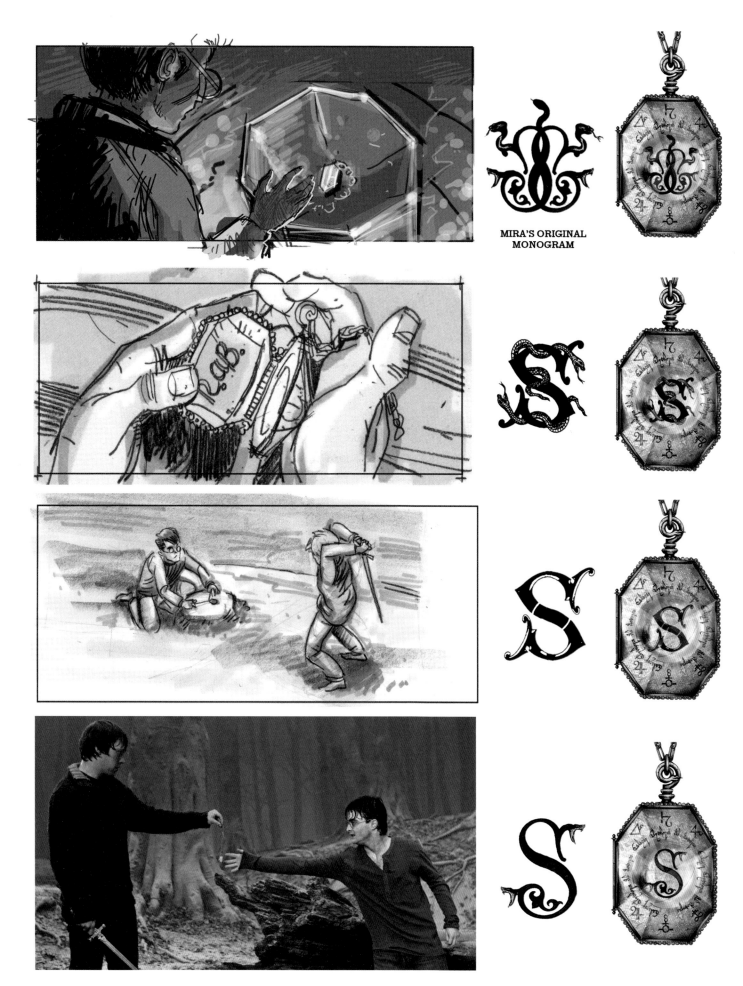

MIRA'S ORIGINAL
MONOGRAM

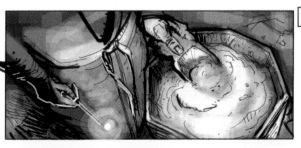

(45a)

CUT

Harry's POV.
Dumbledore fills ladle and raises it....

TILT UP ...

Flare circles round out of shot
..see diagram

(45b)

Cont'd

**Cont'd
over**

with ladle as it rises...

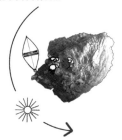

Cont'd

Harry's POV.

1. Dumbledore fills and raises third cup of liquid.

2. he nearly drops cup.

3. Grabs hold of the side of the basin.

Flare circles round out of shot
..see diagram

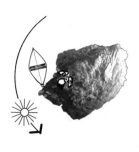

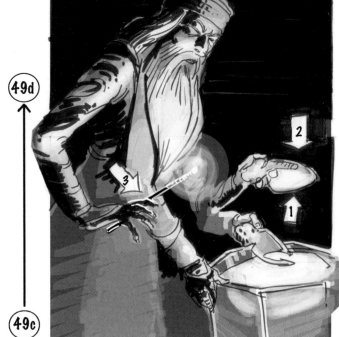

(49d)

(49c)

호크룩스 동굴의
크리스털 잔

"내가 전부 마시게 해. 억지로라도 먹여."

알버스 덤블도어, 〈해리 포터와 혼혈 왕자〉

〈해리 포터와 혼혈 왕자〉에서 디자이너들이 가장 먼저 작업한 소품 중 하나는 해리가 가짜 호크룩스가 있는 대야에서 독물을 떠내는 데 사용한 크리스털 잔이었다. 해티 스토리는 "처음에는 덤블도어가 물을 마실 크리스털 대야에 금속 컵을 사슬로 연결하려고 했"다고 밝힌다. "하지만 잔이 동굴에서 발견할 수 있을 만한 모양이 되어야 할 것 같았어요. 동굴 안이 온통 크리스털뿐이어서 완벽하게 가공된 느낌이 아니어야 했죠. 볼드모트 경이 물을 마시기 위해 발견하거나 그 자리에서 만들어 냈을 것이 분명하니까요." 디자인 자료를 검색하던 중 손잡이가 양 머리 모양으로 된 고대 중국의 옥 숟가락을 발견한 미라포라

미나는 이를 참고해 조개껍데기 모양을 한 유기적인 크리스털 소품을 만들었다. "방법을 딱 발견하면 원래 그 방법밖에 없었을 거라는 느낌이 드는 그런 순간이었죠." 하지만 말만큼 쉬운 일은 아니어서, 최종 디자인이 승인을 받기까지 60개의 시안이 검토되었다.

36쪽: 잔으로 물을 어떻게 뜨는지 자세히 보여주는 스토리보드.
위: 〈해리 포터와 혼혈 왕자〉에서 사용한 크리스털 잔 콘셉트 아트(미라포라 미나).
아래: 해리 포터가 호크룩스 로켓을 찾기 위해서 알버스 덤블도어에게 대야에 든 독물을 마시게 하는 장면 비주얼 개발 그림(애덤 브록뱅크).

EXT OCEAN, CLIFF & CAVE

38쪽: 〈해리 포터와 혼혈 왕자〉에서 해리가 인페리우스를 막는 모습의 콘셉트 아트(애덤 브록뱅크).
위: 호크룩스 동굴 입구를 그린 스튜어트 크레이그의 스케치.
아래 왼쪽: 동굴 내부 모습(앤드루 윌리엄슨).
아래 오른쪽: 앤드루 윌리엄슨이 그린 크리스털 대야의 콘셉트 아트.

헬가 후플푸프의 잔/
레스트레인지의 그린고츠 지하 금고

"벨라트릭스의 금고에 호크룩스가 있다고 생각해?"

헤르미온느 그레인저, 〈해리 포터와 죽음의 성물 2부〉

어떤 소품이나 그렇지만 내용상 중요한 소품은 특히 더 긴 제작 과정을 거친다. 피에르 보해나는 "최소한 대여섯 개의 디자인을 제출해서 감독과 제작자의 승인을 받"는다고 밝힌다. 후플푸프의 잔도 그런 경우였다. 제작진은 애초에 디자인한 두 배 크기의 잔을 작게 축소해달라고 요청했다. 이 일이 미라포라 미나의 디자인에 영향을 주었을까? 미나가 말한다. "당시에는 아직 7권이 나오지 않아서 우리가 아는 건 거기 오소리 그림이 있다는 것뿐이었어요. 다른 것들 같은 위엄이 없는 소박한 디자인이어야 했죠. 그 잔을 수천 개나 만들어야 한다는 사실을 미리 알았다면 그게 디자인에 영향을 미쳤을지는 잘 모르겠네요."

미나는 금으로 만든 잔과 아래쪽이 불룩한 중세의 잔들에서 아이디어를 얻었다. 먼저 후플푸프의 무늬를 새긴 실물 크기 잔을 만든 뒤, 소품 제작자들이 금속 공예를 할 때처럼 거기에 얇은 백랍을 대고 두드린 후에 마지막으로 피에르 보해나가 백랍을 금색으로 칠했다. 잔

은 〈해리 포터와 혼혈 왕자〉에서 필요의 방에 놓기 위해 만들어졌지만 제대로 모습을 보인 것은 〈해리 포터와 죽음의 성물 2부〉에서 해리, 론, 헤르미온느가 그린고츠에 있는 벨라트릭스 레스트레인지의 금고를 습격했을 때다. 금고에는 손이 닿는 물체는 무엇이든 계속 불어나는 주문이 걸려 있다. 해티 스토리가 말한다. "우리는 그걸 플라스틱 공들이 가득 들어차 볼 풀장과 비슷하게 생각했어요. 여기서는 공 대신 보물과 금이 있는 거죠."

그 장면에 필요한 많은 양을 충당하기 위해서 피에르 보해나는 사출 성형 기계를 24시간 동안 가동했다. 스토리가 다시 말한다. "부드러운 고무로 여섯 가지 다른 물건을 만든 후에, 금고의 20세제곱미터 공간을 정말로 가득 채웠어요." 금고 맨 위쪽 모서리 부근에 있는 진짜 호크룩스 잔을 잡기 위해서 대니얼 래드클리프(해리 포터)는 수천 개의 소품 밑에 감춘 도약대에서 뛰어올라야 했다. 진짜 잔은 헤르미온느 그레인저가 비밀의 방에서 파괴한다.

왼쪽, 오른쪽: 헬가 후플푸프의 잔 호크룩스 콘셉트 아트
(미라포라 미나)와 완성된 소품 클로즈업 참고 사진.
배경 그림: 〈해리 포터와 죽음의 성물 1부〉와 〈2부〉에 나오
는 후플푸프의 잔 스케치(해티 스토리).
40쪽: 레스트레인지 금고를 위해 제작한 다양한 해골 소품
을 보여주는 홍보용 사진.

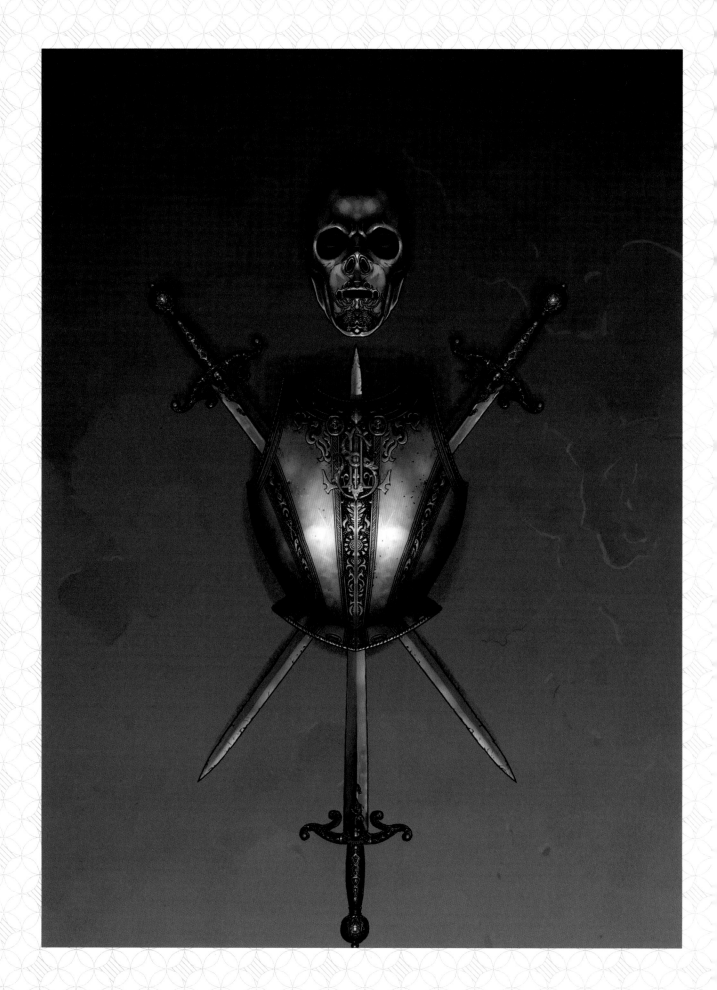

42쪽: 레스트레인지 금고 벽에 걸려 있는 죽음을 먹는 자 갑옷 클로즈업.

위: 〈해리 포터와 죽음의 성물 2부〉에서 해리, 론, 헤르미온느는 금화 등의 보물들이 계속 늘어나는 레스트레인지 금고에 갇히고 만다. 애덤 브록뱅크 그림.

아래: 한 손에 그리핀도르의 칼을 쥔 채 후플푸프의 잔을 잡으려 하는 해리 포터(대니얼 래드클리프).

로위너 래번클로의 보관

"도대체 보관이 뭔데?"

론 위즐리, 〈해리 포터와 죽음의 성물 2부〉

래번클로 기숙사의 창립자 로위너 래번클로의 보관도 디자인 작업을 여러 차례 거친 뒤에야 최종 형태가 결정됐다. 해티 스토리가 말한다. "〈해리 포터와 혼혈 왕자〉의 대본에 보관이 나와서 그걸 만들었어요. 영화에는 결국 나오지 않았죠. 그런 뒤 〈해리 포터와 죽음의 성물 2부〉에서 다시 디자인했는데, 처음과 너무 달라져서 6편에 나오지 않았던 게 다행이었어요." 살라자르 슬리데린의 로켓처럼 (초 챙이 론에게 한 설명에 따르면 "머리띠처럼 생긴 작은 왕관"인) 보관도 두 가지 형태로 만들어졌다.

〈해리 포터와 혼혈 왕자〉 책에서 (그와 딸 루나 모두 래번클로 출신인) 제노필리우스 러브굿은 보관이 자신에게 있다고 믿는다. 눈이 예

리한 관객이라면 해리, 헤르미온느, 론이 〈해리 포터와 죽음의 성물 1부〉에서 실마리를 찾아 러브굿의 집에 갔을 때, 그의 집에 있는 래번클로 흉상 머리 부분의 쌍독수리 보관을 알아볼 것이다. 하지만 진짜 호크룩스는 호그와트의 필요의 방에 있다. 래번클로의 보관이 래번클로 독수리 이미지를 담아야 한다는 점은 분명했다. 보관을 날개를 펼친 독수리 모양으로 디자인한 것은 멋진 아이디어였다. 날개에는 깨끗한 흰색 보석들이 박혔고, 독수리 몸통과 늘어진 '꽁지'는 하늘색 다면체 보석 3개로 이루어졌다. 보관은 해리가 후플푸프의 잔을 파괴한 바실리스크의 이빨로 파괴한 뒤에 론이 악마의 불 속으로 차넣어 사라진다.

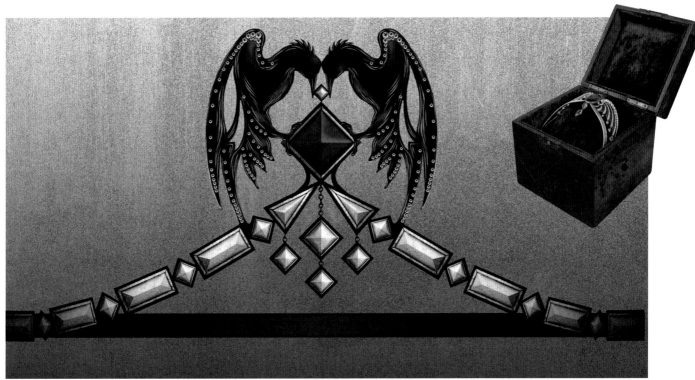

44쪽: 래번클로 기숙사의 상징인 독수리 모습을 담은 로위너 래번클로의 보관은, 날개 아래에 "헤아릴 수 없는 재치는 인간의 가장 위대한 보물이다"라는 래번클로의 격언을 새기고 있다.

맨 위: 〈해리 포터와 혼혈 왕자〉를 위한 래번클로 보관 초기 콘셉트 아트(미라포라 미나).

왼쪽: 러브굿의 집에 있는 로위너 래번클로 흉상이 (비슷하지만 똑같지는 않은) 보관을 쓴 모습 콘셉트 아트(애덤 브록뱅크).

오른쪽 중간: 가짜 보관이 쉽게 눈에 띄는 〈해리 포터와 죽음의 성물 1부〉 세트 참고 사진.

아래: 이때 제작된 보관은 영화에 쓰이지 않았다.

9

ANGLE
DOWN TABLE -
COME,
'I'VE SAVED
YOU A SEAT,'

CUT

C.U.
VOLDEMORT -
'YOU KNOW OUR
HOSTS, OF COURSE
SEVERUS,'
etc. etc.
'ARE YOU BURDENED?'

CUT

ANGLE
ON THE
MALFOYS -
LUCIUS:
'MY LORD?'
NARCISSA:
'IS ALWAYS
WELCOME
HERE.'

CUT

EX. TOP SHOT
CAM. SLIDES
TOP TO
BOTTOM -

SEE
SNAPE
MOVING
DOWN
ROOM,
LOOKING
UP AT
THE SLOWLY
REVOLVING
FIGURE
IN F.G.

CUT

...TO C.U.
'NAGINI'...

PULL
BACK
&
TILT
DOWN

'DINNER'..

FADE
OUT

END of Sc. 8-12 MALFOY MANOR
[POST CREDIT SEQUENCE..]

내기니

"뱀이야! 뱀이 마지막 호크룩스야."

해리 포터, 〈해리 포터와 죽음의 성물 2부〉

볼드모트 경에게 충성하는 무시무시한 뱀 내기니는 호크룩스 가운데 유일하게 완전히 컴퓨터로 제작됐다. 〈해리 포터와 불의 잔〉과 〈해리 포터와 불사조 기사단〉에 나온 내기니는 버마비단뱀과 아나콘다의 합성이지만, 길이가 6미터로 두 뱀보다 훨씬 길다. 애초부터 디지털로 구현하기로 예정돼 있던 내기니는 동물 제작 팀이 완벽하게 채색된 실물 마케트(준비 모형)를 만든 후에, 이를 사이버스캔한 정보를 컴퓨터 애니메이터들에게 전달해 작업했다.

내기니는 〈해리 포터와 죽음의 성물 1부〉와 〈2부〉에서 역할이 커졌다. 시각효과 책임자 팀 버크는 말한다. "아주 진짜 같고 무서운 캐릭터를 만들어야 했습니다. 내기니는 볼드모트의 수하이기도 하지만, 그 스스로도 사악한 동물이죠. 마지막으로 본 내기니는 별로 진짜 같

지 않았어요. 과거에는 내기니의 역할이 별로 크지 않았지만, 이 영화에서는 적들을 위협하는 모습을 보일 기회가 많았죠." 버크는 내기니를 제대로 만들려면 진짜 뱀을 알아야 한다고 팀원들을 설득하고, 리브스덴 스튜디오에 뱀 조련사를 불러서 진짜 대형 뱀의 모습을 보여 주었다.

애니메이터들이 뱀을 촬영하고 스케치하는 동안 디지털 아티스트 한 명은 비단뱀의 사진들을 보면서 내기니의 비늘을 손으로 하나하나 새겨, 뱀가죽의 번들거리는 느낌을 더욱 생생하게 살렸다. 살무사와 코브라를 닮은 동작이 추가돼 섬뜩함을 높였고, 살무사처럼 깊은 눈과 보다 날카로워진 송곳니가 더해졌다.

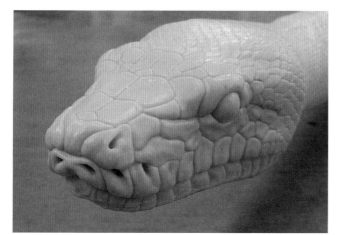

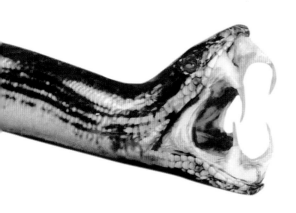

46쪽 위: 〈해리 포터와 죽음의 성물 1부〉에서 볼드모트가 내기니에게 먹이(채러티 버비지 교수)를 주는 장면 스토리보드.
46쪽 아래: 〈해리 포터와 불의 잔〉 때 비단뱀과 아나콘다를 결합해서 만든 내기니. 폴 캐틀링 비주얼 개발 그림.
위: 보아뱀의 특징이 더 많이 보이는 캐틀링의 또 다른 내기니 시안.
아래 왼쪽: 내기니 실물 모형.
아래 오른쪽: 〈해리 포터와 불의 잔〉에서 바티 크라우치 2세(데이비드 테넌트)와 내기니가 연약한 상태의 볼드모트를 바라보고 있다.

그리핀도르의 칼

"진정한 '그리핀도르'만이 그 칼을 뽑을 수 있어."

알버스 덤블도어, 〈해리 포터와 비밀의 방〉

호크룩스를 말할 때는 반지와 로켓과 뱀을 파괴하는 그리핀도르의 칼을 빼놓을 수 없다. 해리 포터는 〈해리 포터와 비밀의 방〉에서 기숙사 배정 모자로부터 꺼내 바실리스크를 죽일 때 그 칼을 처음 본다. 고블린이 만든 그 칼에는 특정 물질을 흡수해서 스스로를 강화시키는 능력이 있는데, 이 경우에는 호크룩스를 파괴할 수 있는 몇 안 되는 방법 중 하나인 뱀독을 흡수한다. 〈해리 포터와 혼혈 왕자〉에서는 덤블도어가 이 칼로 반지 호크룩스를 파괴하고, 이어 〈해리 포터와 죽음의 성물 2부〉에서 네빌 롱보텀이 모자에서 꺼내 내기니를 죽인다. 소품 제작자들은 경매에서 참고용 진짜 검을 사고 중세 검들을 연구하며 아이디어를 찾았다. 칼에 박힌 둥근 보석은 그리핀도르 기숙사 색깔에 맞는 루비이고, 손잡이 부분에는 고드릭 그리핀도르로 추정되는 사람이 작게 새겨져 있다.

왼쪽: 네빌 롱보텀(매슈 루이스)이 그리핀도르의 칼을 들고 있는 홍보 사진.
오른쪽: 진정한 '주인공' 마법 도구인 그리핀도르의 칼.
49쪽 위: 말포이 저택에서 탈출하기 전 그립훅이 그리핀도르의 칼을 들고 있다.
49쪽 아래: 호그와트 전투 후 네빌 롱보텀(매슈 루이스)과 루나 러브굿(이반나 린치)이 휴식을 취하고 있다.

죽음의 성물

"죽음의 성물에 대해 뭘 아시죠?"
"소문에 의하면 세 가지야. 딱총나무 지팡이, 적에게서 몸을 숨길 투명 망토,
죽은 사람을 살리는 부활의 돌. 그 셋을 모두 가지면 죽음의 지배자가 되지.
하지만 진짜 있다고 믿는 사람은 드물어."

해리 포터와 개릭 올리밴더, 〈해리 포터와 죽음의 성물 2부〉

해리 포터는 호크룩스뿐 아니라 세 가지 물건이 더 필요하다는 사실을 알게 된다. 바로 볼드모트 경을 무적으로 만들어 주는 죽음의 성물이다. 그것들이 무엇인지, 누가 그걸 가지고 있는지를 알아내는 과정은 상당한 충격을 선사한다. 그것들은 처음부터 이야기 속에 있었고, 해리와 덤블도어와 어린 볼드모트와 관련되어 있다. 해리는 제노필리우스 러브굿이 〈해리 포터와 죽음의 성물 1부〉에서 빌 위즐리의 결혼식에 하고 온 신기한 목걸이를 통해 처음 죽음의 성물에 대해 알게 된다. 그 목걸이가 상징하는 세 가지 물건을 모두 가지면 죽음의 지배자가 된다는 이야기가 전해지는데, 해리는 볼드모트 경이 그 전설을 사실

로 여기고 그것을 얻으려 할 것이라고 생각한다. 〈해리 포터와 혼혈왕자〉 끝부분에서 어둠의 왕은 덤블도어의 무덤에서 첫 번째 성물인 딱총나무 지팡이를 훔친다. 해리는 이런 사정을 모르는 상태로 또 다른 성물인 투명 망토를 갖고 있고, 세 번째 성물인 부활의 돌은 덤블도어에게서 물려받는다.

위: 〈해리 포터와 죽음의 성물 1부〉에서 제노필리우스 러브굿이 하고 있는 목걸이 비주얼 개발 그림(미라포라 미나).
아래: 헤르미온느 그레인저, 론 위즐리, 해리 포터가 러브굿이 죽음의 성물의 상징을 그리는 모습을 보고 있다.
51쪽: 같은 장면 스토리보드.

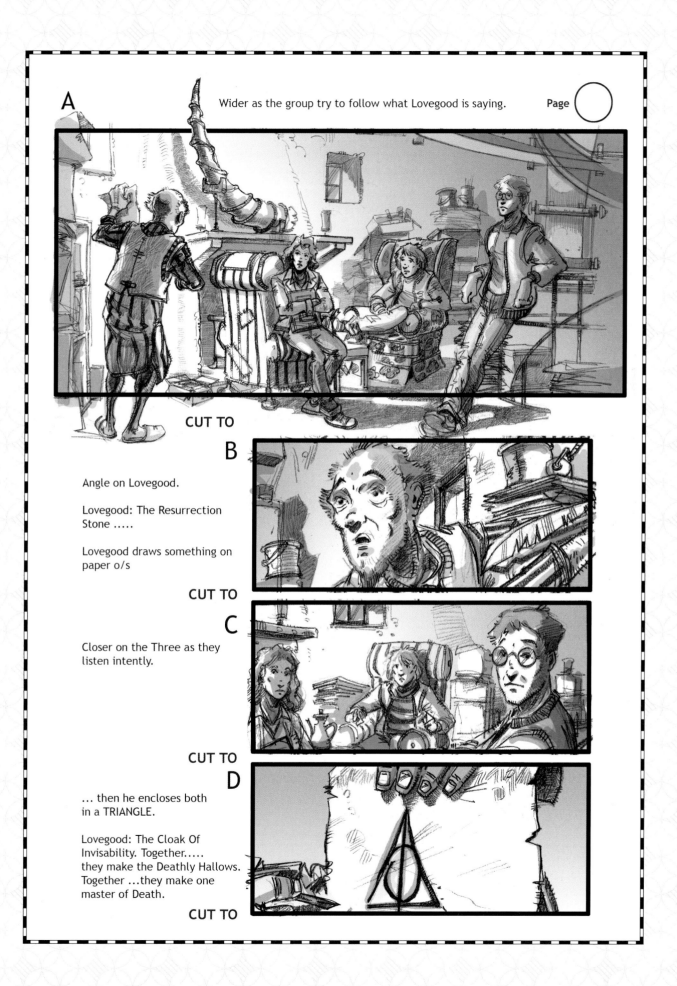

A

Wider as the group try to follow what Lovegood is saying.

Page

CUT TO

B

Angle on Lovegood.

Lovegood: The Resurrection Stone .....

Lovegood draws something on paper o/s

CUT TO

C

Closer on the Three as they listen intently.

CUT TO

D

... then he encloses both in a TRIANGLE.

Lovegood: The Cloak Of Invisability. Together..... they make the Deathly Hallows. Together ...they make one master of Death.

CUT TO

음유시인 비들 이야기

> "헤르미온느 진 그레인저에겐 《음유시인 비들 이야기》 책을 남기며,
> 재미와 교훈을 동시에 얻길 바란다."
>
> 루퍼스 스크림저가 낭독한 알버스 덤블도어의 유언, 〈해리 포터와 죽음의 성물 1부〉

음유시인 비들이 쓴 이야기는 마법사 세계의 그림 형제 동화 혹은 한스 크리스티안 안데르센 동화다. 헤르미온느 그레인저가 덤블도어에게서 《음유시인 비들 이야기》를 받으면서 그들은 죽음의 성물의 역사, 힘 그리고 〈삼형제 이야기〉를 알게 된다. 그 이야기는 죽음을 뛰어넘으려 한 삼형제가 어떻게 딱총나무 지팡이, 부활의 돌, 투명 망토라는 죽음의 성물을 남기게 되었는지를 설명한다.

미라포라 미나와 에두아르도 리마는 이 책이 아이들 것처럼 보이지만 중요한 내용이라는 느낌을 주어야 한다고 생각했다. 이 책의 각 이야기가 시작하는 쪽에는 레이스와 비슷한 느낌으로 정교하게 커팅된 패턴 일러스트레이션이 실려 있다. 이 일러스트레이션 작가의 이름은 룩소 카루조스인데, 이는 미나의 아들 이름을 약간 비튼 것이다. 감독은 〈삼형제 이야기〉가 시작되기 전에 일러스트레이션을 줌인해서 보여주다가 애니메이션으로 자연스럽게 넘어가려고 했지만, 이 아이디어는 마지막 단계에서 취소되었다.

영화를 만드는 내내 미나와 리마는 디자인 승인을 받기 위해 이 책을 비롯한 핵심 소품들의 시안을 제작진에게 보여주었다. 그러던 어느 날 J.K. 롤링이 〈해리 포터와 죽음의 성물 1부〉 촬영장을 방문하자 제작자 데이비드 헤이먼이 《음유시인 비들 이야기》를 보여주었다. 리마의 말에 따르면 "롤링은 그걸 보더니 '이건 나도 한 권 가져가야겠네요'라고 말했어요. 그래서 우리가 '이건 시안이니까 완성본이 나오면 드릴게요'라고 말하자 롤링은 알겠다고 말하고 책을 돌려주었죠. 하지만 2초 뒤에 다시 와서 '죄송한데 이걸 그냥 가져가야겠어요'라고 말하고는 저를 꼭 안아주었어요. 당황했지만 너무 간절히 부탁해서 거절할 수 없었죠!"

52쪽: 애니메이션 감독 벤 히번이 그린 조명과 애니메이션 팀을 위한 참고 그림 '컬러 키'. 죽음이 삼형제 중 둘째를 데려가는 모습이다.

아래: 시퀀스 책임자 데일 뉴턴이 그린 컬러 키. 〈해리 포터와 죽음의 성물 1부〉에 나오는 〈삼형제 이야기〉 중 삼형제가 다리 앞에 이르는 대목이다.

위: 알버스 덤블도어가 헤르미온느 그레인저에게 준 《음유시인 비들 이야기》는 죽음의 성물 추적의 핵심 단서가 된다. 표지 디자인은 미라포라 미나와 에두아르도 리마가 담당했다.

54~55쪽: 《음유시인 비들 이야기》 소품 페이지들.

The Tale
✳ of the ✳
Three Brothers
✳

MRF RXRM FTH RMHPX FP3HNTM
3TBE 3TBTM JTJP GTBRX ORGHM KTG
HJ GPHJGHP JTJRXRM JT JP
FX KYBHH OHORBBY MRX PM JTJGP
ORMMHNTGFX PJMR H3MPX TGMBHPM
3TMTBBR PTHHGHP PTBPR

PM TTPX PJMR HHHFJTX RXRM MYGGHGHJ
HJ YBJPBR ORMHJPHFJM GPPM PM FYGYB
ORMHHGFXMHJPHFJM

GPPM PM FYGYB ORHHGFXG GHHRBY GYBRX
H3MPX FYGYB MHM PXRM PYJMRMRMG
PHH3HMHJX RGHM PBPM CRGHM TTPX
PPPFXMPJ ○ XPFPJJPM

MHJPHFJM GPPM PM FYGYB ORMHHGFX
MYBHGYB GHHRBY MHJPHFJM MRF
PYJMRMRMG PHH3HMHJX RGHM PBPM CRGHM
TTPX PPPFXMPJ XPOXBHX ○ XPFPJJPM
ORMHHGFX GHHRBY TTHM

✵✳✵

THE TALE OF THE THREE BROTHERS

There were once three brothers who were
traveling along a lonely, winding road at twilight

The Wizard
✳ and the ✳
Hopping Pot
✳

LⱵ✳╈᛭ℲⱵ ⱵⱵL᛭ℲⱵ ᛫✳ ✳ⱵⱵⱵℲⱵ᛫
ⱵⱵⱵ᛭ℲⱵ ⱵⱵⱵⱵ᛫ ⱵⱵⱵℲⱵⱵⱵ᛫ ⱵⱵⱵ᛫LⱵ
᛫ⱵⱵⱵ ᛫ⱵⱵ᛭ⱵⱵⱵⱵ ᛫Ⱶ ⱵⱵⱵℲⱵⱵⱵ
᛫ⱵⱵⱵⱵ ⱵⱵ᛭Ⱶ ᛫Ⱶ᛬ⱵⱵⱵ ᛫ⱵⱵ ⱵⱵℲⱵℲ᛫
LⱵⱵℲ ᛭ⱵⱵⱵⱵℲ ᛬᛭Ⱶ᛭ℲⱵ ᛫LL᛭ℲⱵ᛫ ᛬
᛫Ⱶ᛫Ⅎ᛭LⱵ᛫ⱵⱵ ᛫ⱵℲⱵ᛭Ⱶ᛬Ⅎ᛬᛬ ⱵⱵ᛭ℲⱵⱵ᛫
Ⱶ᛬Ⱶ᛬᛫ ⱵⱵ᛫ ᛬Ⱶ᛬᛬᛫ ᛫᛭᛬᛫ ᛬Ⱶ᛬᛬᛫
✳᛫ⱵⱵ᛭᛬᛭Ⅎ᛬ Ⱶ᛬᛬᛭Ⱶ᛬᛬ ᛬᛭Ⱶ᛬᛫

Ⱶ᛬Ⱶ᛬᛫ ᛫᛭᛫LⱵ ᛬᛬Ⱶ᛫ⱵⱵ ᛬ⱵⱵⱵ᛬ ᛫᛭ⱵⱵ
✳᛫ⱵⱵⱵ᛭Ⱶ᛬᛬ ᛬᛫Ⱶ ⱵⱵLⱵ᛫᛭᛬᛬ ᛫᛭᛫᛫ ᛬ⱵⱵ᛬

᛫᛬᛫Ⱶ᛭Ⱶ᛬᛬ Ⱶ᛭᛫᛫ ᛫᛬ ᛫᛭᛫ⱵⱵ᛬᛫ ᛫Ⱶ᛬Ⱶ◉
Ⱶ᛬᛬Ⱶ᛬Ⱶ᛭᛫᛫ ᛭᛫Ⱶ᛬᛫᛬ ᛭ⱵⱵ᛭᛫᛬ ᛭᛬᛫᛬Ⱶ᛫᛬᛫᛬
᛭Ⱶ᛭LⱵ᛬᛫ ⱵⱵ᛬᛫LⱵ ᛫᛭LⱵⱵ᛬᛫ ᛬Ⱶ
᛫᛭ⱵⱵ᛬᛬LⱵ᛬ ᛬ⱵⱵ᛬᛫Ⱶ᛭᛬ L᛭᛬ⱵⱵ᛬Ⱶ᛬
L᛭᛬᛬Ⱶ

᛭Ⱶ ᛫᛬᛫Ⱶ᛬ ᛬᛫Ⱶ᛬᛬ ᛬᛭᛬Ⱶ᛭Ⱶ᛫᛭᛫᛬ ᛫Ⱶ᛬Ⱶ
Ⱶ᛬ⱵⱵⱵ᛬᛬᛫᛫᛬ ᛬᛫᛬ ᛬Ⱶ᛬᛬Ⱶ᛬᛫᛬ ᛫Ⱶ ᛬ⱵⱵⱵⱵ᛬᛬᛬
Ⱶ᛬᛫Ⱶ᛬᛫ ᛬᛭Ⱶ᛬᛫᛬ ✳᛫ⱵⱵ᛬᛭᛫ ᛬᛭᛬ ᛫᛭Ⱶ᛬᛫

✠✢✠

THE WIZARD AND THE HOPPING POT

Rather than reveal the true source of his power, he pretended
that his potions, charms and antidotes sprang from the
little cauldron he called his lucky cooking pot.

High on a hill in an enchanted garden, enclosed by tall walls and protected by strong magic, flowed the Fountain of Fair Fortune

The King caused proclamations to be read in every village and town across the land.

위: 삼형제 중 첫째가 받은 딱총나무 지팡이는 세상에서 가장 강력한 마법 지팡이로, 세월이 흐르는 동안 주인
이 계속 바뀌어 마침내 알버스 덤블도어의 소유가 된다.

57쪽 위: 〈해리 포터와 불의 잔〉에서 알버스 덤블도어(마이클 갬번)가 지팡이를 사용해 기억을 꺼내고 있다.

57쪽 아래: 애니메이션으로 만든 〈삼형제 이야기〉 중 한 장면. 삼형제가 죽음에게서 돌, 지팡이, 망토를 선물
로 받아 떠난다.

딱총나무 지팡이

"첫째는 세상에서 제일 강력한 지팡이를 원했고, 죽음은 딱총나무 가지로 지팡이를 만들어 줬어요."

헤르미온느 그레인저가 읽는 《음유시인 비들 이야기》, 〈해리 포터와 죽음의 성물 1부〉

〈해리 포터와 마법사의 돌〉에서 제작진이 J.K. 롤링에게 처음 보여준 지팡이들은 금박을 씌운 바로크 디자인부터 뿌리가 나고 수정이 달린 것, 곧고 단순한 것, 우드터닝 기법으로 만든 것까지 디자인이 아주 다양했다. 롤링은 뒤에 제안된 디자인들을 선택했다. 소품 제작자는 책에 재료가 나오면 그 나무로, 나오지 않으면 고급 목재로 마법 지팡이를 만들었다. 피에르 보해나가 말한다. "흥미롭고 고급스러운 목재를 찾으려고 했습니다. 하지만 단순한 실루엣은 싫었기 때문에 옹이가 있거나 질감이 흥미로운 것을 선택해서 독특한 모양으로 만들려고 했죠." 디자인이 승인되면 주형을 떠서 수지나 우레탄으로 지팡이를 만

들었다. 나무는 너무 잘 부러졌기 때문이다.

딱총나무 지팡이는 이런 원칙을 잘 지켰다. 알버스 덤블도어의 지팡이는 영국산 참나무를 주재료로 해 룬문자를 새긴 뼈 모양 재료를 중간에 끼워 넣었다. 보해나는 "가장 얇기도 하지만 6~7센티미터마다 특이한 혹이 하나씩 달려 있어서 눈에 확 띄죠"라고 설명한다. 소품 제작자들은 덤블도어의 지팡이가 죽음의 성물 중 하나이며, 세상에서 가장 강력한 지팡이라는 사실을 몰랐다. 보해나가 말한다. "멀리서도 금방 알아볼 수 있죠. 그래야 해요. 말하자면 가장 강력한 무기니까요. 지팡이 중에서라면 다른 모든 걸 압도해 버리죠."

58~59쪽: 〈해리 포터와 죽음의 성물 1부〉를 위한 애덤 브록뱅크의 콘셉트 아트.
볼드모트가 덤블도어의 무덤에서 딱총나무 지팡이를 꺼내는 장면.

투명 망토

"마지막으로 죽음은 셋째에게 물었죠. 겸손한 셋째는 죽음을 피해 강을 건너게 해줄 물건을 달라고 했어요.
죽음은 마지못해 자신의 투명 망토를 내주었어요."

헤르미온느 그레인저가 읽는 《음유시인 비들 이야기》, 〈해리 포터와 죽음의 성물 1부〉

해리 포터는 〈해리 포터와 마법사의 돌〉에서 크리스마스 선물로 투명 망토를 받는다. 이는 해리가 처음으로 받은 제대로 된 크리스마스 선물이다. 포장지에 붙은 수수께끼의 쪽지에는 해리의 아버지 제임스 포터가 자신에게 남겨준 이 망토를 이제 해리에게 돌려준다는 내용이 쓰여 있다. 해리는 〈해리 포터와 불사조 기사단〉을 뺀 모든 작품에서 투명 망토를 사용한다. 하지만 망토의 기원과 죽음의 성물로서 갖는 중요성은 〈해리 포터와 죽음의 성물 2부〉에 가서야 밝혀진다.

주디애나 매커브스키가 이끄는 의상 팀에서 만든 망토는 두꺼운 벨벳에 염색을 한 후 켈트, 룬, 점성술 기호를 새겨 완성했는데, 이 천은 용도에 따른 몇 종류의 망토를 만드는 데 사용됐다. 대니얼 래드클리프(해리 포터)가 모습을 감추려고 망토를 입을 때는 그린스크린 재료를 댄 망토가 사용됐는데, 대니얼은 망토를 몸에 두르기 전에 천을 교묘하게 뒤집어서 녹색 천이 위로 오도록 했다. 완벽하게 몸이 투명해진 장면 촬영에 사용한 또 하나의 망토는 벨벳 천을 양면에 댄 형태였다. 이 망토는 전신 그린스크린 옷을 입은 상태에서 들거나 뒤집어쓰는 방법으로 사용됐다.

위: 〈해리 포터와 죽음의 성물 1부〉 스크린 캡처. 삼형제는 죽음에게서 선물을 받고, 죽음은 그들의 목숨을 차지할 기회를 기다린다.
아래: 죽음이 자신이 입은 옷을 잘라 투명 망토를 만드는 장면 컬러 키(데일 뉴턴).
61쪽 위: 해리 포터가 〈해리 포터와 마법사의 돌〉에서 알버스 덤블도어가 준 크리스마스 선물인 투명 망토를 들고 있다.
61쪽 아래: 그린스크린 면을 바깥으로 해서 망토를 두른 대니얼 래드클리프.

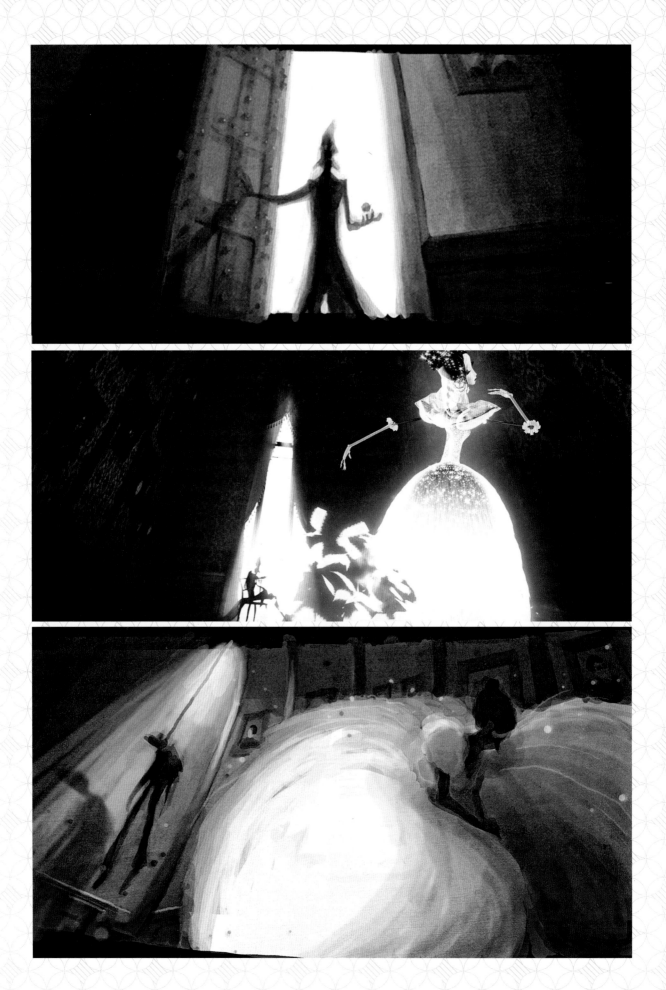

부활의 돌

"둘째는 죽음에게 더 굴욕감을 주기 위해 죽은 사람을 살릴 힘을 달라고 했죠.
죽음은 돌을 꺼내 그에게 주었어요."

헤르미온느 그레인저가 읽는 《음유시인 비들 이야기》, 〈해리 포터와 죽음의 성물 1부〉

62쪽: 〈해리 포터와 죽음의 성물 1부〉의 〈삼형제 이야기〉 애니메이션 비주얼 개발 그림.
맨 위: 〈해리 포터와 죽음의 성물 1부〉에서 둘째가 죽음에게서 부활의 돌을 받는 장면 스크린 캡처.
중간: 〈해리 포터와 죽음의 성물 2부〉 끝부분에서 해리 포터는 골든 스니치에 적힌 글을 마침내 이해한다. 골든 스니치가 열리자 부활의 돌이 나타나고 해리는 이를 통해 세상을 떠난 사랑하는 사람들, 부모인 제임스와 릴리, 대부 시리우스 블랙, 리머스 루핀 교수와 대화한다.
아래: 골든 스니치를 여는 방식을 상상한 비주얼 개발 그림.

부활의 돌은 죽음의 성물이자 호크룩스인 유일한 물품이다. 〈해리 포터와 혼혈 왕자〉에서 처음 모습을 보였을 때 이 돌은 금이 가고 망가진 상태였다. 알버스 덤블도어가 목숨을 잃어가며 그리핀도르의 칼로 그것을 파괴했기 때문이다. 〈해리 포터와 죽음의 성물 2부〉에서 다시 등장한 이 돌은 덤블도어가 해리에게 준 유품, 즉 그가 맨 처음 잡았던 골든 스니치 안에서 발견된다.

부활의 돌 역시 다음 책이 나오기 전, 또는 제작진이 그 물품의 중요성을 알기 전에 제작을 시작한 소품 중 하나다. 해티 스토리는 "덤블도어가 6편에서 끼고 있던 반지의 보석을 디자인할 때, 우리도 다른 사람들처럼 아무것도 몰랐어요"라고 밝힌다. 제작진은 그것이 부활의 돌이 될 거라는 사실도, 돌에 새겨져 있어야 할 죽음의 성물 상징 문양에 대해서도 알지 못했다. 다행히 얼마 후 7편인 《해리 포터와 죽음의 성물 1부》가 발간됐고, 해티 스토리는 그 책을 "아주 급하게" 읽었다. "그리고 내용을 바탕으로 돌의 디자인을 바꿨죠."

부활의 돌은 〈해리 포터와 죽음의 성물 2부〉에서 해리가 골든 스니치를 입술에 댔을 때, 거기 적힌 "나는 닫힐 때 열린다"를 그대로 실천하며 마지막으로 등장한다. 소품 팀은 골든 스니치가 열리면서 돌이 올라오는 기계 장치를 만들었고, 돌이 공중에 떠오르는 장면은 디지털로 연출했다.

Copyright © 2021 Warner Bros. Entertainment Inc. WIZARDING WORLD characters, names and related indicia are © & ™Warner Bros. Entertainment Inc. WB SHIELD: © & ™WBEI. Publishing Rights © JKR. (s21)

Published by arrangement with Insight Editions, LP, 800 A street, San Rafael, CA 94901, USA, www.insighteditions.com

이 책의 한국어판은 오렌지에이전시를 통해 저작권사와 독점 계약한 (주)문학수첩에서 2021년 출간되었습니다. 저작권법에 의해 보호를 받는 저작물이므로 무단 전재와 무단 복제를 금합니다.

해리 포터 필름 볼트 Vol. 3
: 호크룩스와 죽음의 성물

초판 1쇄 인쇄 2021년 10월 20일
초판 1쇄 발행 2021년 12월 29일

지은이 | 조디 리벤슨
옮긴이 | 고정아, 강동혁
발행인 | 강봉자, 김은경

펴낸곳 | (주)문학수첩
주소 | 경기도 파주시 회동길 503-1(문발동 633-4) 출판문화단지
전화 | 031-955-9088(마케팅부), 9532(편집부)
팩스 | 031-955-9066
등록 | 1991년 11월 27일 제16-482호

홈페이지 | www.moonhak.co.kr
블로그 | blog.naver.com/moonhak91
이메일 | moonhak@moonhak.co.kr

ISBN 978-89-8392-872-6 04840
     978-89-8392-869-6(세트)

* 고유명사 등의 용어는 《해리 포터》 20주년 새 번역본을 따랐습니다.
* 파본은 구매처에서 바꾸어 드립니다.